La vie rêvée de Crapaud la grenouille

À mes deux petites grenouilles, Marguerite
et Anne-Florence, qui réaliseront un jour
(je l'espère) toute la chance qu'elles ont!
C. P.

À toutes les grenouilles qui partagent ma mare
enchantée et à celles qui y bondissent grâce aux
hasards de la vie. À Alice, à Julie et à Laura,
mes Roses Noires. Je vous aime, les filles.
Merci d'être là.
L. D.

Voici l'histoire de **Crapaud**.

Mais attention, Crapaud n'est pas un crapaud.

Pas du tout! C'est une belle grenouille. Drôle d'idée pour une grenouille de s'appeler Crapaud, ne crois-tu pas? Les crapauds sont bossus et maladroits. Les grenouilles, elles, sont colorées et agiles.

Que veux-tu! Ses parents devaient avoir soif d'originalité...

Crapaud habitait son superbe étang depuis déjà très longtemps. En fait, depuis toujours! Il connaissait ce petit coin d'eau comme le fond de sa poche.*

Du lever au coucher du soleil, la grenouille s'amusait comme une petite folle sur son nénuphar.

Sa vie était complètement...

* C'est une façon de parler, bien sûr! Tout le monde sait que les grenouilles n'ont pas de poche...

Captivante!
Tchak !
Fascinante!
Tchak !

Tchak !
Trépidante!
Tchak !
Palpitante!
GRATTE
GRATTE

Un matin, Crapaud en eut assez
de cette vie trop festive et décida
de partir à la recherche d'un étang
plus bleu, où sa vie serait meilleure
et, surtout, moins carnavalesque.

Il traversa de vastes étendues sous une chaleur suffocante. Après une marche qui lui parut interminable, Crapaud arriva enfin au bout du désert de sable.

Il savait maintenant que plus rien ne pourrait l'arrêter. Qu'il était né pour l'aventure! Qu'il trouverait ce qu'il cherchait!

7e ciel

Puis, ce jour tant attendu arriva.
L'aventurier n'avait jamais contemplé une eau aussi limpide.
Devant lui, un splendide étang miroitait et l'aveuglait de bonheur! Crapaud sourit à pleines gencives pour la toute première fois de sa vie. Il était au septième ciel!*

Sans attendre, Crapaud plongea avec toute la grâce d'une grenouille. Ce fut un superbe saut, digne des Grands Ballets amphibiens!

* Précision (pas si) importante : Il n'y a qu'un ciel, et aucune grenouille n'y a mis les pattes!

SPLASH!!

Quel bonheur! L'eau était chaude et propre. Étonnamment, les mouches venaient à lui sans effort. Tout un festin! Nombreux mais silencieux, les poissons étaient de loin les plus agréables qu'il ait rencontrés. Sages comme des images, ils n'essayaient pas de lui parler. Tout le monde sait que les poissons sont dérangeants et n'arrêtent pas de jacasser...

Il ne faut pas leur en vouloir. Avec leur petite mémoire, les discussions sont... comment dire... redondantes! Une conversation entre poissons ressemble à ceci :

Et ça recommence encore et encore, comme le jour de la « barbotte »!

Allongé sur son nénuphar de luxe, Crapaud pensait qu'il menait une vie de rêve. Soudain, un événement encore plus magique arriva. Sans que le ciel se couvre de nuages et que le soleil disparaisse, la pluie se mit à tomber.

De petites gouttes fines, juste comme les grenouilles les aiment.

Crapaud ignorait qu'il existait un endroit où la pluie et le soleil se côtoyaient!

C'était trop beau pour être vrai...

Un soir, la grenouille se dit que même si le ciel lui tombait sur la tête, cela ne changerait rien à son bonheur.

Et **PAF!**

Le ciel tomba d'un coup, comme s'il l'avait entendue.

!?!??!?!?!

Bzzzz ?!!?

Paniqué, Crapaud lutta pour sa vie pendant des heures, regrettant ses dernières pensées. Il ne voulait surtout pas mourir noyé. Quelle honte pour une grenouille!

Heureusement, Crapaud avait plus d'un tour dans son sac!*

Il savait que tout étang digne de ce nom possède une sortie d'urgence. Quand Crapaud réussit enfin à reprendre son souffle, il jura de ne plus jamais insulter le ciel!

* Il est probablement inutile de préciser que les grenouilles n'ont pas de sac, pas plus qu'elles n'ont de poche.

Malgré tout, la grenouille s'imaginait finir ses jours dans ce paradis marin... jusqu'à ce qu'une monstrueuse créature l'envahisse. Une espèce de pieuvre avec une énorme tête poilue et d'immenses yeux vitreux!

Crapaud prit ses pattes à son cou pour s'enfuir à toute vitesse!*
Il nagea aussi rapidement que ses cuisses de grenouille le lui permettaient. Juste avant que le monstre ne l'avale, il rejoignit la rive.

* A-t-on vraiment besoin de spécifier qu'il est difficile d'avancer vite avec les pattes autour du cou?

Effrayé, Crapaud
regagna son ancien
étang d'un seul bond.